喜羊羊与灰太狼

Pleasant Goat and Big Big Wolf

㉒ 蕉太狼的真面目

童趣出版有限公司编　　人民邮电出版社出版

北京

主要人物介绍

喜羊羊
族群里跑得最快的羊，乐观、好动，永远带着微笑。由于他每次都能识破灰太狼的阴谋诡计，拯救了羊羊族群的生命，是羊氏部落的小英雄。

美女羊，心灵手巧。她还是营养学家、美容师、模特儿……一切与"美"有关的事她都精通，是大家跟风模仿的对象。

美羊羊

懒羊羊
最聪明的小肥羊之一，最喜欢的运动是睡觉。他聪明机智，而且临危不乱，总是一副大智若愚、举重若轻的样子。

沸羊羊

最健壮的羊，也是最鲁莽的一只羊。经常是一副很酷的样子，总爱持反对意见，以为自己英伟不凡、天下无敌，其实很多时候都无能为力。

慢羊羊
羊村村长，最年长的羊，博览群书，平时最爱搞小发明，是个乌龙发明家，但危急时又能派上用场。动作总是慢吞吞的，常把身旁的羊急死。

暖羊羊的心肠跟她的名字一样，充满阳光和温暖。重量级的身躯和无比善良的性格展现出来的魅力，总是让人大跌眼镜。

暖羊羊

灰太狼
住在青青草原对面的森林里，是个"聪明"又倒霉的坏蛋，爱钻研抓羊技巧，一有机会就去搔扰羊部落。他永远想偷羊吃，却永远被羊羊们打败。

灰太狼的老婆，贪婪、虚荣、忌妒、狠毒。虽然长得一般却总打扮得豪华高贵，自以为天下最美。总是逼着灰太狼去抓羊，自己却坐享其成。

红太狼

肥蕉
灰太狼的侄子，外表冷漠，内心善良。在偶然的机会下与暖羊羊结为好朋友。保持素食是肥蕉的生活理念。吃更大一些的香蕉是肥蕉的终身追求。

蕉太狼的真面目

在灰太狼的家里……

噼啪！

叮！

不会吧？蕉太狼，你竟然瘦了？

怎么会呢？我看起来这么胖……

我想找村长和暖羊羊，懒羊羊真不是我咬的。

暖羊羊……

哐！

站住，不准再走过来，不然我们就不客气了。

村长说了，暂时不准你进来。你走吧！

跟他讲那么多废话干什么？给懒羊羊报仇！

你们错怪我了……

16

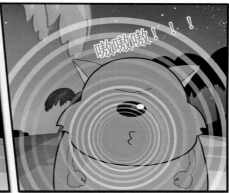

啊！都吹到我身上了！

沸羊羊？

懒羊羊，你怎么在这儿呀？

快下来。

我们很久没有给草原做清洁了，大家要努力哦！

懒羊羊，你也加入我们的清洁运动吧！

我现在要回家吃饭了！

又想偷懒吗？

你看，一半的垃圾都是你扔的！

嘻嘻……

快干活！

是，是……

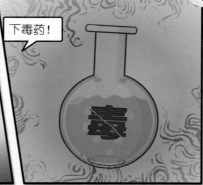

哎哟，走不动喽。

我的腰啊！

村长，照这样的速度，要到明年才能清扫完草原上的垃圾。

嘀！

嘎吱嘎吱

明年？！看来是用这个的时候了！

嘎吱……

村长，这是什么？

这是我研制的机器羊——清洁工一号。

它会自动寻找垃圾，然后打包。试试看……

嘀！

叮！

呼噜呼噜……

啊？怪物！

嘎吱嘎吱

垃圾！

取！

吃！

呀，大家快跳到河里去洗澡！

村长，赶紧！

垃圾！垃圾！

呛死啦！

不是垃圾。

垃圾，垃圾……

垃圾！垃圾……

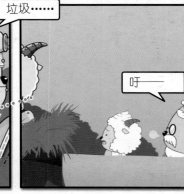

吁——

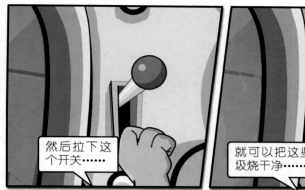

然后拉下这个开关……

就可以把这些垃圾烧干净……

好棒的发明!

噼里啪啦。。。。。。

刷!

咔嗒!

哈哈！垃圾都没了！

这样处理垃圾，既方便又环保！

太好了，我们去把清洁工一号打包好的垃圾捡过来吧！

好，出发！

好大！

还有一个机器羊！

那个小的机器羊已经那么厉害了，这个大的……

45

我想起来了，外面不是有一个开关吗？

这还不容易！

啪嗒！

搞定！

把门关上！

这个机器羊马上就要启动了……

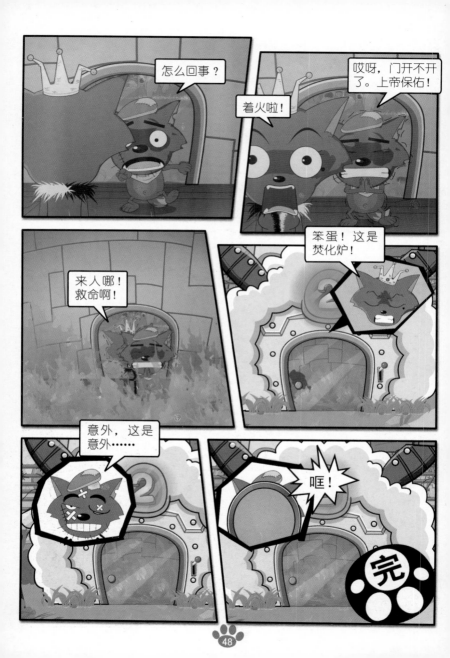

送礼老羊

羊村一年一度的
送礼节到了······

你们说，送礼节真的会有送礼老羊来吗？

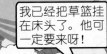

我已经把草篮挂在床头了。他可一定要来呀！

一定会来的。你们去年拿到什么礼物了？

我去年想要一对蝴蝶结，过了"送礼节"那晚，我就收到了。

我也收到我最想要的大衣了。送礼老羊是怎样把礼物给到我们的？

传说是这样的——

当所有的小羊睡着后，送礼老羊会拉着雪橇，带着礼物……

爬到小羊们的房顶……

50

从烟囱进屋……

把小羊们最想要的礼物放进床头的篮子里。

咳咳，大家不要做白日梦了，还是快点布置好礼堂吧！

化装一定要仔细啊！

搞得这帮小羊都信以为真，连累我一把年纪了，还要熬夜，背着大包小包的爬上爬下。

不知道是哪位祖先以前骗小孩，编了这么一个送礼老羊的传说。

我这把老骨头，迟早得散架。

时间差不多了，再看看有没有破绽？

每逢"送礼节"当晚……

会有送礼老羊从烟囱钻进每只小羊的家里……

送上意外的惊喜？

53

送礼老羊？！

有了，我有办法了！

赶紧找服装……

当当当……

小肥羊，看你们往哪里跑？

嗯？好像有羊经过。

老婆，是我呀，我是灰太狼。

当！

该死的，没事扮什么羊？害我空欢喜一场。

今天是羊村的送礼节，我扮成他们传说中的送礼老羊。

这样就可以趁他们不备，把他们都抓回来。呵呵……

是吗？太好了，那你还不快去？！

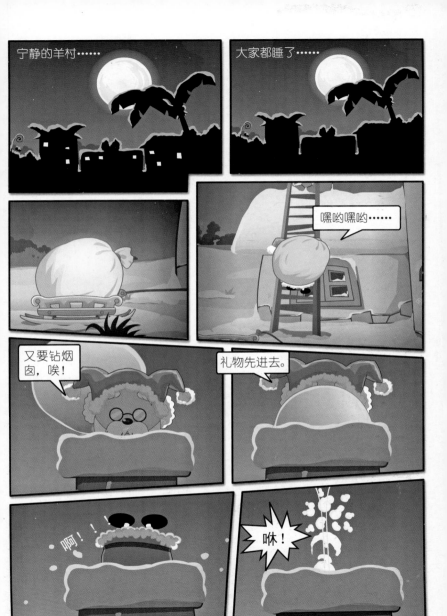

咚！

这小子也太不讲卫生了，烟囱竟然那么脏。

算了。嗯，这份礼物是你的。

呼噜呼噜……

这个是给暖羊羊的。

美羊羊的礼物。

接下来去懒羊羊家。

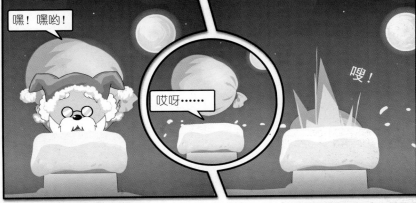

嘿！嘿哟！

哎呀……

嗖！

噼里啪啦！

扑通！

走了？！好大一份礼物呀！要是送礼老羊再多给我一份青草糖果就好了。

咚咚咚……

谁在敲门呀？

吱嘎……

没羊，难道是我听错了？

呀！！！

哦，送礼老羊！难道你听到我刚才说的，要多送我一份礼物吗？

怎么只有一个出来？狼尾巴？！糟了！是灰太狼假扮的。

难道袋子里都是羊？

赶紧通知大家！

沸羊羊，在家吗？快出来，灰太狼来了。

我想到了！

看我的！

糟了，一定是灰太狼假扮送礼老羊，把大家都抓走了。怎么办呢？

懒羊羊，都这个时候了，你还搞恶作剧。

呜呜……我真的是诚心诚意的。

火箭载人计划终于由我聪明的灰太狼大王实现了！

你们这些笨蛋小肥羊，怎敢跟本大王斗下去？

嗖！！！

小肥羊们，我灰太狼又来啦……

砰！！！

哈哈！

啊！着火了！

又是灰太狼！

真不好意思，吓着你们了吧？嘻嘻……

好恐怖。

我要坚强！

懒羊羊又开始想象……

懒羊羊之墓

懒羊羊，你是我们羊村的英雄，我们永远记着你！

反正都没救了，死也要死得像个英雄！

灰太狼，我来啦……

图书在版编目(CIP)数据

喜羊羊与灰太狼. 20, 蕉太狼的真面目 / 广州原创动力动画设计有限公司著；童趣出版有限公司编. —北京：人民邮电出版社，2008. 5
ISBN 978-7-115-17897-8

Ⅰ. 喜… Ⅱ. ①广…②童… Ⅲ. 动画：连环画—作品—中国—现代 Ⅳ. J228. 7

国版本图书馆CIP数据核字（2008）第043731号

喜羊羊与灰太狼20
蕉太狼的真面目

责任编辑：莫 杨
美术编辑：唐婷婷
责任印制：谢敬宁 李茗
著　作：广州原创动力动画设计有限公司 www.22dm.com

出版发行：童趣出版有限公司编
　　　　　人民邮电出版社出版
地　址：北京东城区交道口菊儿胡同7号院（100009）
印　刷：北京画中画印刷有限公司
经　销：新华书店总店北京发行所
开　本：787×1092 1/32
印　张：3
版　次：2008年5月第1版 2008年5月第1次印刷
字　数：75千
印　数：1—50,000
书　号：ISBN 978-7-115-17897-8/G
定　价：10.00元

www.childrenfun.com.cn
读者服务热线：010-84015099

Pleasant Goat and Big Big Wolf

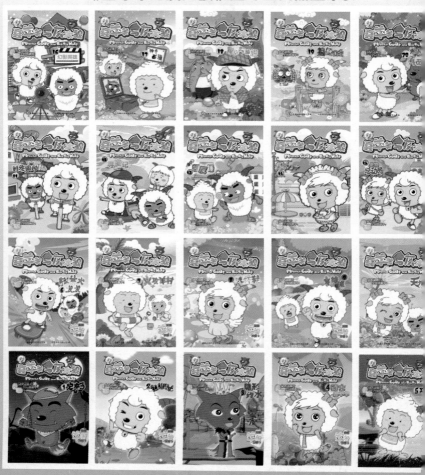